Esta historia tuvo lugar en China hace mucho tiempo, en el siglo XV.

El emperador había decidido reforzar la gran muralla que protegía el país de las invasiones,

y los campesinos trabajaban en ella duramente.

El general Zhao, un ser particularmente cruel,

que no dudaba en matar a quien se negaba a hacerlo, tenía aterrorizada a toda la región.

En esta misma región vivía un gran sabio: el maestro Yang.

Mi agradecimiento a Francine

© 2004, Editorial Corimbo por la edición en español
Ronda del General Mitre 95, 08022 Barcelona
e-mail: corimbo@corimbo.es
www.corimbo.es
Traducción al español: Julia Vinent
1ª edición marzo 2004
© 2003, l'école des loisirs, París
Título de la edición original: «Petit Aigle»
Impreso en Francia por Aubin Imprimeur - Poitiers - Ligugé
ISBN: 84-8470-142-5

CHEN JIANG HONG

PEQUGUILA

Corimbo

Una noche de invierno,
el maestro Yang volvía a casa
llevando bajo el abrigo a un niño
que había encontrado durmiendo en la nieve.
Era un muchachito medio
muerto de frío.

7

El maestro Yang le dio arroz
y un té delicioso.
Luego, cuando el chico
hubo entrado en calor,
le preguntó:
«¿De dónde vienes,
dónde están tus padres?»
«Mis padres han muerto.
Se negaron a someterse
al general Zhao, así que los mató.
Yo conseguí huir.»
«De ahora en adelante,
estarás bajo mi protección»,
dijo el maestro Yang.
«Vivirás en esta casa,
con mi águila y conmigo.»

Al llegar la primavera,
el maestro Yang, su águila y el muchacho
vivían en perfecta armonía.
El maestro Yang era bueno
y aliviaba la tristeza del niño.

Una noche que habían cenado muchos champiñones,
el chico se despertó, un poco indispuesto.
¡Vio que la cama del maestro Yang estaba vacía!
Una inmensa sombra se movía
tras la pared de la habitación.
Y fuera, parecía que unas fuertes alas
azotaban el aire.

El muchacho
no tenía miedo a nada.
Se puso las zapatillas
y se adentró
en la oscuridad de la noche,
escaló una morera y descubrió,
asombrado, al maestro Yang
ejecutando los movimientos
de la lucha del Águila.

Desde entonces,
el muchacho se escondió
todas las noches
para observar al maestro Yang
y repetir cada uno de los movimientos
que veía hasta saberlos
de memoria.

Un día, en el mercado, cuatro gamberros provocaron al muchacho.

Todos eran mayores que él.

No dudó en utilizar los movimientos que había aprendido a escondidas.

Le llovieron los comentarios de sorpresa y admiración.

«¡Qué orgulloso se sentirá de mí el maestro Yang!», pensó el chico.

Pero el maestro Yang estaba enfadado:
«¡Así que me observas cada noche,
en lugar de dormir!
¡Y te peleas por cualquier cosa!
¿Te crees muy fuerte?»

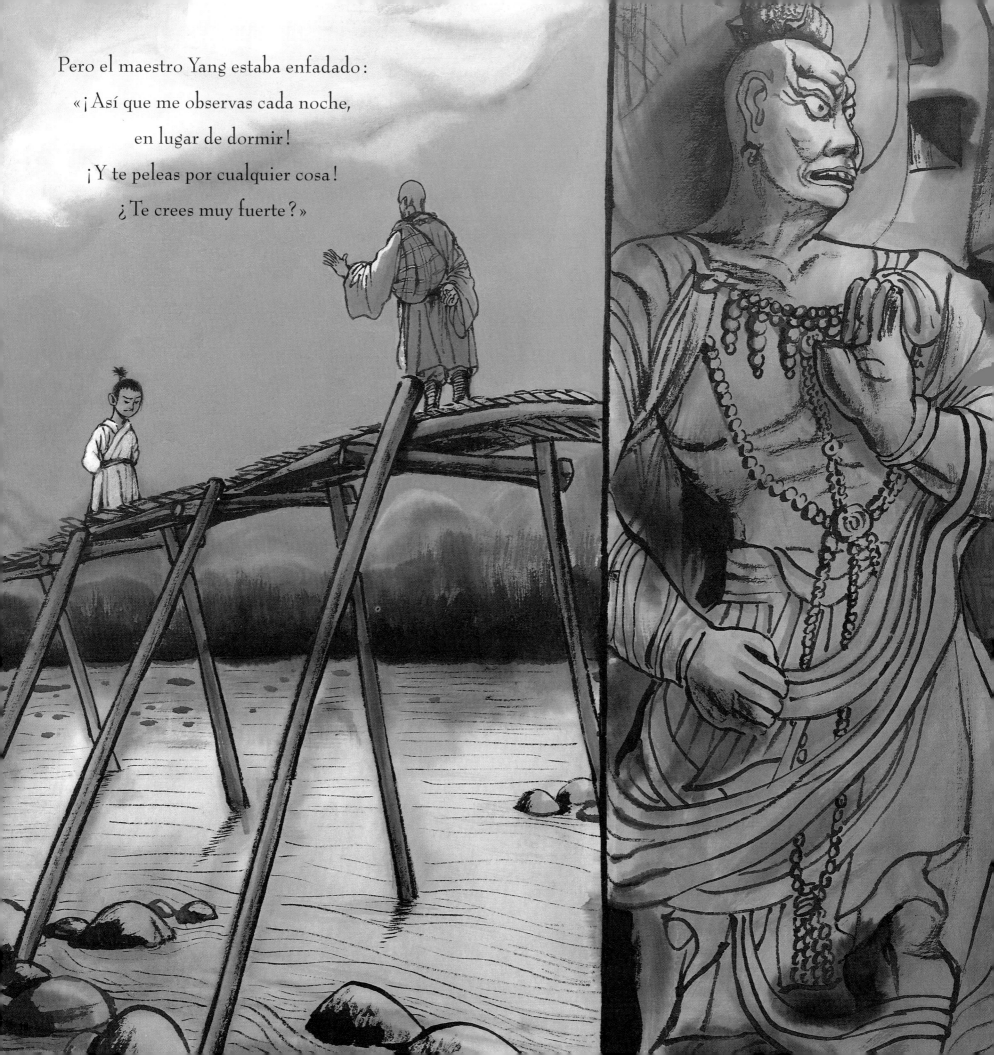

Sin embargo, el maestro Yang comprendió que el chico tenía un don.

«Ya que así lo deseas, sígueme, serás mi discípulo.»

Fueron a la cueva del gran Buda, donde le raparon la cabeza al chico.

Luego golpeó el suelo tres veces con la frente

delante del maestro Yang, diciendo:

«Maestro, te seguiré hasta la cima de la perfección.»

«Te acepto», dijo el Maestro Yang. «Tu nombre será Pequeño Águila.»

El entrenamiento empezó. Cuando Pequeño Águila fue capaz de ejecutar
a la perfección todos los movimientos de la lucha,
el maestro Yang le llevó al bosque de bambúes, junto a una gran piedra.
«Mira», le dijo, «gota a gota, día tras día, el agua
perfora la dura roca. Así es como la persistencia da sus frutos.»
Pequeño Águila comprendió que el verdadero trabajo
no había hecho más que empezar y que sería largo.

Así que trabajó duro estación tras estación.

Hasta olvidar la fatiga.

Hasta vencer el dolor.

Hasta no sentir el peso de su cuerpo.

23

Para aguzar la vista,
se entrenaba contando las piedras de la colina,
los granos de arroz sobre la estera,
los pájaros en el cielo.

Para afinar su oído,
escuchaba las ínfimas vibraciones
de una moneda
suspendida por un hilo.

Por fin, un día, Pequeño Águila pudo agujerear
el suelo de una sola patada.
Sus movimientos fluían armónicos.
Creyó que había alcanzado la perfección.

Diez años más tarde,
el decimoquinto día del octavo mes,
en el crepúsculo, el maestro Yang hizo sentar
a Pequeño Águila junto a él y le dijo:
«Todavía no has aprendido nada.
Esta noche te transmitiré
la quintaesencia de mi saber.»
Se hizo de noche y entablaron
un maravilloso combate durante el cual
el discípulo devino en maestro.

Al día siguiente, el maestro Yang
se presentó ante Pequeño Águila
completamente vestido de blanco
y le dijo solemnemente:
«¿Sabías que tu peor enemigo
es también el mío?»

«Corre el rumor de que escondo un libro que recoge los secretos
de la lucha del Águila. El general Zhao siempre ha querido
apoderarse de él, aunque yo me he negado.
Me ha avisado de que esta noche vendrá con sus tropas.
Le recibiremos juntos.»
«Estoy listo, maestro»,
respondió Pequeño Águila.

Maestro y discípulo pelearon en perfecta armonía,
alternando ataques precisos con defensas infalibles.

Pequeño Águila estaba exultante.

Viendo que perdía el combate,

Zhao atacó a traición, por la espalda, al maestro Yang.

La herida era profunda. El maestro Yang sabía que iba a morir.
Entonces, con voz firme y tranquila, le dijo a Pequeño Águila:
«Nunca tendrán el libro que buscan, porque tal libro no existe.
Los secretos de la lucha del Águila están en mí.
Y eres tú quien los conoce ahora.
Respétalos siempre y no los utilices
más que para hacer el bien.»

Pequeño Águila, en pie, rezó por su maestro.

Todavía oía el eco de su voz en el cielo límpido:

«Que la sabiduría y la abundancia te acompañen.

¡Velaré siempre por ti!»

La lucha del Águila, de la que trata este libro, es un estilo de Kung Fu.

Muchas técnicas de Kung Fu son el resultado de la observación de los animales:

el estilo del Tigre, de la Garza, del Mono…

Como el de todas las artes marciales, su aprendizaje es largo y difícil,

pero con él se adquieren habilidades excepcionales.